Conseillers à la publication
Roger Aubin
Gilles Bertrand
Jean-Pierre Durocher
Robert Furlonger

Publié par Grolier Limitée

Dépôt légal, 4ᵉ trimestre 1990
Bibliothèque nationale du Québec

MES PREMIÈRES RIMES AVEC DISNEY

DINGO
GARDIEN D'ENFANTS

Le vocabulaire du coucher

MES PREMIÈRES RIMES AVEC DISNEY

DINGO
GARDIEN D'ENFANTS

Adaptation française
CHRYSTIANE HARNOIS
CATHERINE GAUTRY

 Grolier Limitée
MONTRÉAL

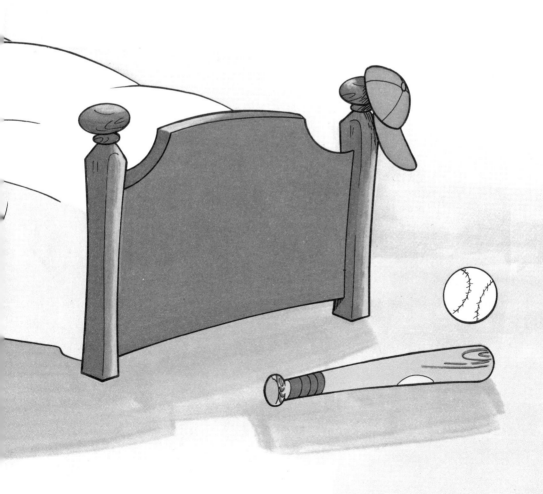

Ce soir la gardienne n'a pas le temps
De venir s'occuper des enfants.
«Dingo, tu es désigné.
Voici quelques conseils», dit Mickey.

«Ici, c'est la chambre des enfants.
Ils dorment avec leur ourson tout le temps.
À huit heures, ils doivent être au lit,
Et il faut les border aussi.»

«Ils prendront leur bain juste avant
Et assure-toi qu'ils se brossent les dents.
Remplis la baignoire assez tôt
Car à huit heures, c'est le dodo.»

Mickey s'apprête à s'en aller,
Quand il dit: «Oh, j'allais oublier.
Voici leur grand livre d'histoires.
Je leur lis un conte tous les soirs.»

Dingo se met sans perdre de temps
À lire un conte très passionnant.
Les enfants disent: «Attends, voyons.
Nous prenons notre collation.»

Dingo lève les yeux et s'écrie:
«Qu'est-ce que cette girafe fait ici?
Regardez, elle veut entrer.
Vite, il faut aller se cacher!»

Michou lève le store aussitôt
Et dit: «Mais n'aie pas peur, Dingo.
C'est seulement l'ombre que la lune fait
Sur ce grand arbre, ici, tout près.»

Dingo voit alors sous la table
Quatre grands yeux redoutables.
«Au secours!» crie-t-il, effrayé.
«Ces deux grands monstres veulent me manger!»

Dingo plonge derrière le divan,
Ce qui fait bien rire les enfants.
Car en fait ce que Dingo a vu,
Ce n'est que leurs pantoufles farfelues.

L'heure du bain est arrivée,
Mais toute l'eau s'est écoulée.
Les garçons disent à l'unisson:
«Tu n'avais pas mis le bouchon.»

Une fois la baignoire remplie d'eau,
Les enfants se lavent bien comme il faut.
Dingo, lui, lit un conte de fées.
Jojo dit: «Attends qu'on soit couchés.»

Mais Dingo est tellement fasciné
Qu'il ne veut pas du tout arrêter.
Cette belle histoire que Dingo lit
Est celle d'un faon nommé *Bambi*.

Les enfants ont fini leur toilette.
Ils se sèchent avec une serviette.
Soudain Dingo voit dans le bain
Une chose qu'il croit être un requin.

Il laisse tomber le livre d'histoires
Et se lève d'un bond pour mieux voir.
Il glisse alors sur du savon
Et dans le bain, fait un plongeon.

Dingo se retrouve tout trempé
Mais le mystère est élucidé.
Ce qui inquiétait tant Dingo
N'était que le voilier de Jojo.

Dingo est allé se changer.
Il a mis le peignoir de Mickey.
Pendant ce temps, les deux enfants
Se sont brossé soigneusement les dents.

«Nous nous sommes bien brossé les dents.
Tu dois maintenant en faire autant.
Nous allons t'aider», s'écrient-ils.
Dingo n'a que deux dents, c'est facile!

«C'est maintenant l'heure d'aller se coucher»,
Dit Dingo aux neveux de Mickey.
Il entre dans la chambre des enfants.
«Il fait un peu noir là-dedans.»

En disant cela, Dingo trébuche
Sur un petit ours en peluche.
Il fait un superbe plongeon
Dans le lit des deux garçons.

Michou allume alors la veilleuse,
Mais Dingo est d'humeur furieuse.
Son pied droit est pris dans les draps.
Le pauvre crie: «Mais lâchez-moi!»

Enfin, les garçons sont couchés.
Dingo arrange leurs oreillers.
«Où est le livre?» demande Jojo.
«L'as-tu fait disparaître, Dingo?»

Dingo dit: «Où est-il passé?
Je l'avais pourtant apporté.
Cherchons ensemble dans ce coin,
Il ne peut pas être bien loin.»

Dingo s'écrie: «Ah, le voilà!
Il était caché sous les draps.
Ensemble nous allons tirer
Pour replacer ce drap froissé.»

Tous les trois ils tirent tellement fort
Que le drap bondit comme un ressort.
Le livre tombe sur la tête de Dingo
Et le met complètement KO.

Lorsque Mickey rentre à minuit,
Ses neveux sont là, sagement assis.
«Mais que faites-vous encore debout?»
Demande-t-il à Jojo et Michou.

«Ce n'est pas notre faute, dit Jojo,
Mais le livre a mis Dingo KO.
Il est étendu dans notre lit;
Nous ne pouvions pas nous coucher sur lui.»

Mickey va voir ce qu'il peut faire
Pour tirer son ami d'affaire.
«Je ne pourrai jamais le réveiller.
Il est vraiment assommé.»

«Eh bien, il n'y a rien à faire.
On peut éteindre la lumière.
Venez faire la bise à Oncle Mickey,
Ensuite nous irons nous coucher.»

Connaissez-vous ces mots?

Miroir

Ourson en peluche

Débarbouillette

Brosse à dents

Dentifrice

CONTES

Serviette

Voilier

Livre d'histoire

Baignoire

Shampooing

Bise

Peignoir

Pantoufles

Collation

Pyjamas

Lit

Oreiller

Veilleuse

Couverture

Drap